Del mismo autor

El más listo
El código de circulación
El rey está ocupado
Romeo y Julieta
Soy el más guapo
¡Soy el más fuerte!
El lobo que quería ser una oveja
¡A la cama, monstruito!
¡Mamá!

© 2012, Editorial Corimbo por la edición en español
Av. Pla del Vent 56, 08970 Sant Joan Despí, Barcelona
e-mail: corimbo@corimbo.es
www.corimbo.es
Traducción al español de Rafael Ros
1ª edición Diciembre 2012
© 2005, l'école des loisirs, París
Título de la edición original: «Un monde de cochons»
Impreso en Bélgica por Daneels
Depósito legal: B-19574-2012
ISBN: 978-84-8470-463-8

Mario Ramos

El secreto
de Luis

Corimbo

Sumario

Capítulo 1

El nuevo

La clase apenas ha comenzado
cuando llaman a la puerta.
Es el señor Director acompañado
de un chaval bien extraño.
—Queridos niños —dice—,
os presento a un nuevo compañero.
Se llama Luis. De ahora en adelante
ésta será su clase. Sed amables con él.

Todos miran al nuevo.

—Da un poco de miedo —dice Gerardo.

—Tiene pinta de malo —murmura Angélica.

—Seguro que huele mal —añade Tomás.

La profesora se dirige a Luis:

—¿Dónde está tu cartera?

¡Mañana deberás traer tus cosas!

Ahora, ve a sentarte.

Y la clase continúa.

Al cabo de un momento,
la profesora pasea por la clase
y se detiene delante de la mesa de Luis,
que se ha dormido.

Bruscamente golpea la mesa con la
regla y Luis se despierta sobresaltado.
Todos los cerditos estallan de risa.

En ese instante,
suena la campana del recreo
y todos los niños salen al patio
corriendo y gritando.

Luis es el último en salir.
Se apoya contra la pared,
con las manos en los bolsillos.

La banda de Carlos se le acerca
y empieza a cantar:

¡ Pelos en las orejas !
¡ Pelos en el morro !
¡ Pelos en las cejas !
¡ Eres más feo que un mono !

Pero Luis enseña los dientes
y la pandilla sale pitando.

Capítulo 2

Lucas

Al día siguiente, en el recreo,
Lucas se acerca a Luis:
—¿Te molesta si me siento aquí?
Luis no responde.

—¿Quieres jugar conmigo? —pregunta
de nuevo Lucas. Luis sigue sin contestar.

Entonces Lucas se sienta a su lado
apoyándose también contra la pared.

—¿Qué haces aquí, estás castigado? —pregunta
Mario plantándose delante de Lucas.
—Déjame tranquilo… —suspira Lucas.

—¡Ven a jugar con nosotros! —insiste Mario
estirándole del brazo.
—¡Déjame, no me molestes! —grita Lucas enfadado.

Entonces Luis enseña los dientes
y Mario se aleja prudentemente.

—No me gustan los juegos
de cerditos —dice Lucas —.
Prefiero jugar al lobo feroz,
pero nadie quiere jugar conmigo.

—¡A mí me gustaría! —dice Luis.

—¿De verdad? ¡Super! Entonces yo hago
de lobo feroz y tú de cerdito, ¿vale? ¡Y te
he de pillar para comerte! —grita Lucas
entusiasmado.

Lucas da un aullido terrorífico y se lanza a
la caza de Luis. Corren en todas direcciones
hasta que termina el recreo.

—¿Ha sido divertido, verdad? —resopla Lucas.
—Imitas muy bien la voz del lobo feroz,
¡pero no me has pillado! —responde Luis.
—Ya verás la próxima vez, te atraparé y te
comeré crudo —ruge Lucas.

Capítulo 3

Los tres cerdos

Una mañana, Luis
no viene al colegio.
Al día siguiente tampoco,
y al otro tampoco.
Dicen que está enfermo.

Lucas decide entonces
hacer una visita a su amigo.
Toma el sendero del bosque
que bordea la granja abandonada.

A Lucas no le gusta nada este sitio,
es la guarida de tres chuletas brutos y malos.

Justamente están ahí. Observan a Lucas en silencio.

En cuanto ha pasado, empiezan a dar extraños gritos.
«Los detesto», piensa Lucas apretando los puños.

Sube la pequeña colina y se adentra en el bosque.

«Brrr… qué sombrío y húmedo es.
¡Si me pierdo aquí, nadie me encontrará jamás!»

De repente, ¡Crac! Cae una rama.

Lucas mira a su alrededor:
—¿Hay alguien?
Solamente responde el viento en las hojas.

«Espero que no me hayan seguido…»,
piensa Lucas acelerando el paso.

Capítulo 4

Margarita

Aliviado, Lucas divisa al fin una casita.
Se acerca y llama a la puerta.

Tras esperar un buen rato, se oye una voz:
—¿Quién hay?
—Eeh… vengo a ver a Luis —responde
Lucas algo intranquilo.

La puerta se entreabre.
—¡Pues entra! —dice la enérgica voz.

Lucas avanza lentamente.

—Hola, pequeño. Soy la abuelita de Luis.
Tú debes de ser Lucas. He oído hablar de ti.

Luis está en su cama.
Inmóvil bajo las sábanas, tiene los ojos cerrados.
—¿Se va a morir? —pregunta inquieto Lucas.

—¡No, tonto!
Es sólo un molesto microbio.
Sólo tiene que descansar, es todo.

Si quieres, puedes volver el sábado.
Ya estará mucho mejor.

Ahora, regresa a tu casa, empieza
a chispear y pronto será de noche.

Margarita no tiene que repetirlo.
Lucas no tiene ningunas ganas
de encontrarse solo en el bosque
en medio de la oscuridad.

Capítulo 5

Las galletas de azúcar

—¡Buenos días! —dice Lucas.
—¡Buenos días! —dice Luis con una gran sonrisa.
—¿Estás mejor? —pregunta Lucas.
—¡Oh, sí! ¡Y tengo un hambre de lobo!

—Buena cosa —dice la abuelita—, el sábado es
el día de las galletas de azúcar. ¿Quién quiere?
—¡Yo, yo! —responden a coro los pequeños.
La abuelita da una galleta a cada uno.

—¡Gracias, señora! —dice Lucas.

—Puedes llamarme Margarita —dice la abuelita.

—Muy bien, señora Margarita —responde Lucas.

La abuelita le dedica una sonrisa y coge un hacha de un rincón de la habitación.

—Os dejo solos un momento,
voy a cortar leña —dice a los niños.

Lucas se sienta al lado de la cama y revuelve
en su cartera.

—Mira qué te he traído: ¡un libro!
—¡Qué bien! ¿Me lo lees? —pregunta Luis.

Al final del cuento, Luis suspira:

—¡Qué bueno! A mí también me gustaría saber leer.

—En el cole se aprende a leer —dice Lucas.

—No quiero volver nunca más al cole —dice Luis.

—¿Por qué? ¡Todos los niños van al cole! Además
nos divertimos mucho en el recreo —exclama Lucas.

—¡Tengo miedo! —confiesa Luis desviando la mirada.
—¿Tienes miedo del colegio? —pregunta Lucas.

Luis se aguanta las lágrimas y pregunta:

—¿Sabes guardar un secreto?

—¡Desde luego! —responde Lucas.

—No se lo puedes contar a nadie,
ni tan siquiera a la abuelita Margarita.
¿De acuerdo? —insiste Luis.

—¡Te lo prometo! —responde Lucas.

Capítulo 6

El secreto de Luis

Luis cuenta:
—Para ir al colegio, he de pasar por
la granja abandonada donde siempre
gandulean tres cerdos. Los habrás
visto al venir.

Lucas baja los ojos:
—¡Sí, parecen muy malos!

Luis continúa:
—¡Son muy malos! Cada vez que paso,
me fastidian. Al principio, me insultaban
y luego me tiraban piedras.

Y la última vez,
me ataron las manos
y me bajaron a un pozo.
No paraban de reírse.
Cuando me subieron,
estaba completamente
mojado.

Después de eso,
caí enfermo.

¡No quiero
volver al cole!
¡Tengo mucho
miedo de lo que
me puedan hacer
la próxima vez!

Los dos amigos permanecen
largo rato en silencio.

—¡Esto no puede continuar así,
hay que hacer algo! —dice por
fin Lucas.

De pronto, la puerta se abre.

Entra Margarita, cargada de leña.
Lucas le ayuda a colocar los troncos.
Después se acerca a su amigo para
despedirse, pues ya es hora de volver.
Le susurra en la oreja:
—Me parece que tengo la solución para
desembarazarnos de esos cretinos.

Promete volver cada día hasta que Luis
esté completamente curado.

Margarita le da una galleta de azúcar
para el camino.
—¡Gracias, señora Margarita! —dice Lucas.

Capítulo 7

El lobo feroz

Normalmente Lucas no se levanta demasiado temprano, pero hoy es el gran día.

Corre a encontrarse
con Luis detrás de la colina.
Allí, esperan pacientemente.

Al fin, el sol asoma por encima
de la loma e ilumina la granja.

—¡Ahora! —exclama Lucas.

Entonces, Luis se levanta y se pone delante
del sol. Su sombra gigantesca y amenazadora
se proyecta sobre el camino del colegio.

Al mismo tiempo, Lucas, con una voz
terrorífica, grita con todas sus fuerzas:
—¡Que pases un buen día, hijo mío!
Estudia mucho y diviértete. ¡Y si alguien
te molesta tendrá que vérselas conmigo!

Después, Luis agarra su cartera
y baja con calma el camino.

Cuando llega cerca de la granja,
se gira y agita el brazo:
—¡Hasta luego!

Lucas responde aullando terroríficamente.
Y Luis continúa su camino tranquilamente
hasta el viejo roble, donde espera a su amigo.

Al cabo de un buen rato, llega Lucas sofocado tras
haber dado un enorme rodeo para evitar la granja.

—¡Tendrías que haberlos visto!
¡Ha sido divertidísimo! —exclama Luis.
Los dos amigos se ríen de lo lindo mientras
se dirigen al colegio a toda prisa.

Llegan justo a la hora de entrar en clase.

Luis sonríe a su amigo:
—A la hora del patio, jugaremos al lobo feroz.
—¡Sí! —responde Lucas—, ¡pero esta vez
te pillaré y te comeré crudo!

Fin